Voilà.
C'est une histoire
de Petit éléphant.
Elle s'appelle

ATTENDS,
Petit éléphant!

Et elle est écrite
et illustrée par

Jeanne Ashbé

Pastel
l'école des loisirs

Sarah Amariat

Petit éléphant
a un nouveau vélo.
Il voudrait bien
aller jouer dehors.

TOUT DE SUITE !

Mais
Grand éléphant
dit:

« ATTENDS,

Petit éléphant !
Je suis occupé. »

«GRRRRRRR !...»

Plus tard,
Grand éléphant
appelle
Petit éléphant:

«TU VIENS MANGER?»

Mais
Petit éléphant
répond:

«ATTENDS,
je joue.»

Plus tard encore,
Grand éléphant
appelle
Petit éléphant:

«TU VIENS MANGER ?!»

Mais
Petit éléphant
répond:

«ATTENDS,
je lis.»

Encore encore
plus tard,
Grand éléphant
appelle
Petit éléphant:

«TU VIENS MANGER?!!»

Mais
Petit éléphant
répond:

«ATTENDS,
je travaille.»

«Ah bon ? répond alors
Grand éléphant,

ce n'est pas grave,
nous avons très faim.
Nous mangerons volontiers
ton goûter !»

Alors là, soudain,
Petit éléphant a fini
de jouer, de lire,
de travailler...

Il coooouuuuuurt...

Très vite,
très vite,
très vite…

Piiin-pon!

ATTEEENDS !...

Après tout,
l'heure du goûter,
c'est l'heure
du goûter !
Pas vrai ?

Maaaiiis,
mon histoire
n'est pas finie...

Héééééé...!

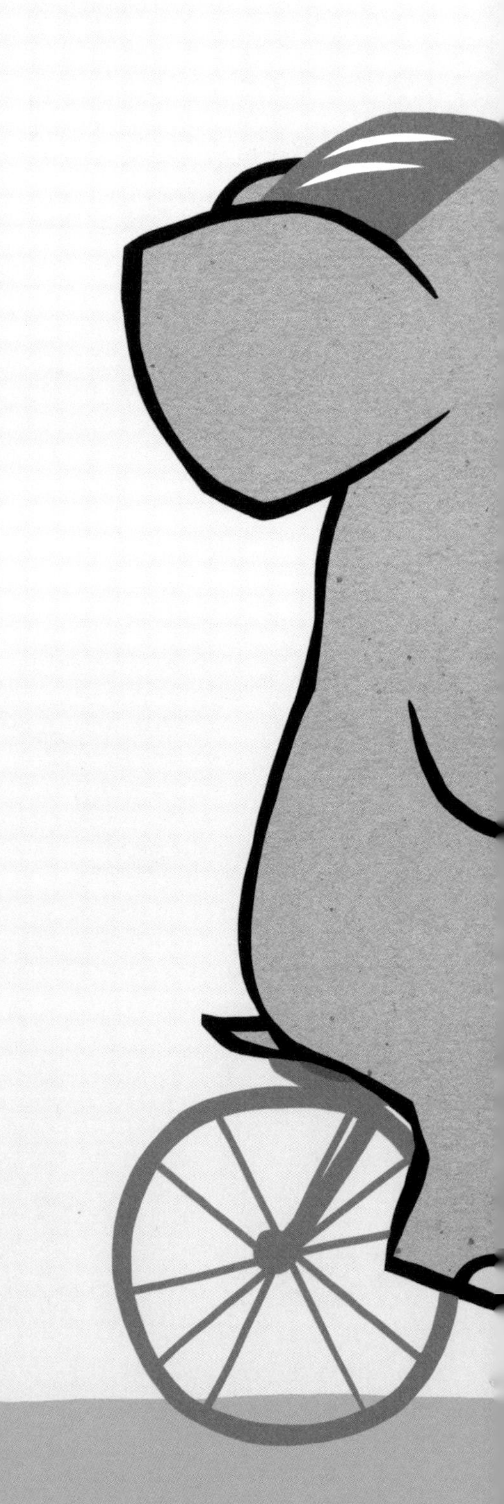

Hé! Petit éléphant!

ATTEEEEEEENDS!

Voilà !

C'était une histoire
de Petit éléphant !